Mystère à Nice

Illustrations d'**Ivan Canu**

Rédaction : Maréva Bernède
Direction artistique et conception graphique : Nadia Maestri
Mise en page : Carlo Cibrario-Sent, Simona Corniola
Recherche iconographique : Alice Graziotin

© 2013 Cideb

Première édition : janvier 2013

Crédits photographiques : IstockPhoto ; DreamsTime ; Shutterstock Images ; © FabioGiulianoStella/Cuboimages : 4 ; Getty Images : 5t ; © Gérard Labriet/Photononstop/Corbis : b ; Benoit DECOUT/REA/ Contrasto : 6 ; WebPhoto : 26 ; Getty Images : 45 ; Tips Images : 46b ; AFP/Getty Images : 47.

Pour toute suggestion ou information, la rédaction peut être contactée à l'adresse suivante :
info@blackcat-cideb.com
blackcat-cideb.com

Member of CISQ Federation

RINA
IQNet
ISO 9001:2008
Certified Quality System

The design, production and distribution of educational materials for the CIDEB brand are managed in compliance with the rules of Quality Management System which fulfils the requirements of the standard ISO 9001 (Rina Cert. No. 24298/02/S - IQNet Reg. No. IT-80096)

ISBN 978-88-530-1334-7 livre + CD

Imprimé en Italie par Litoprint, Gênes

Sommaire

Le texte est intégralement enregistré.

 Ce symbole indique les chapitres et les activités enregistrés et le numéro de leur piste.

 Les exercices qui présentent cette mention préparent aux compétences requises pour l'examen.

La Promenade des Anglais.

Nice

La ville de Nice a les pieds dans la mer Méditerranée et la tête dans les Alpes du Sud. Facile pour la trouver sur une carte de France, non ?

Géographie, en bref…

Nice est située en Provence-Alpes-Côte d'Azur (l'une des 27 régions françaises) et dans les Alpes-Maritimes (l'un des 101 départements qui composent la France). Plus de 340 000 habitants y vivent (c'est la cinquième ville la plus peuplée de France) et plus de 4 millions de touristes la visitent chaque année !

Dans le passé…

Les archéologues ont retrouvé des traces d'habitations dans la région de Nice datant de plus de 400 000 ans. La ville s'appelle *Nikaïa* lorsque les Grecs, puis les Romains s'y installent. Elle change ensuite plusieurs fois de nationalité et devient française seulement en 1860.

Des anges et des Anglais…

Nice est célèbre pour sa *baie des Anges* et sa *Promenade des Anglais*. Pourquoi ces noms ?

« L'Ange de mer » est un requin dont les ailerons [1] ressemblent aux ailes d'un ange. Il est très présent en mer Méditerranée. Voilà pourquoi les pêcheurs niçois ont appelé *baie des Anges* la mer en face de leur ville.

La baie des Anges.

Les Anglais sont à l'origine du second nom. Au début du 19e siècle, Nice devient leur lieu de vacances préféré. À cette époque, un pasteur anglais fait construire une petite route, baptisé tout naturellement le « chemin des Anglais ». Aujourd'hui, cette route est devenue une grande avenue presque aussi connue que les Champs-Élysées à Paris.

Le vieux Nice

Des marchés de fleurs, de légumes et de produits régionaux, de belles maisons aux couleurs vives, des rues étroites, des places avec de nombreuses terrasses de café : c'est le *vieux Nice*. Construits au 17e siècle, ces quartiers sont encore très animés.

Le vieux Nice.

1. **Un aileron** : nageoire du requin.

La vie de tous les jours

Nice est l'une des villes les plus ensoleillées de France : le soleil brille plus de 140 jours par an. On dit parfois que c'est le lieu idéal pour passer sa retraite. Mais attention, la ville a aussi une très grande université, l'université Nice Sophia-Antipolis. Plus de 25 000 étudiants y apprennent les sciences, les lettres, la médecine, l'économie ou encore les langues. Le *nissart*, le dialecte niçois, y est même enseigné.

Compréhension écrite

1 Lisez le dossier, puis dites si les affirmations suivantes sont vraies (V) ou fausses (F).

		V	F
1	Nice est situé au nord-est de la France.	☐	☐
2	La ville compte plus de cent mille habitants.	☐	☐
3	Après le bac, on ne peut pas faire ses études à Nice.	☐	☐
4	Il pleut presque tous les jours à Nice.	☐	☐

2 Remplissez la fiche de l'office de tourisme de Nice.

Premiers hommes dans la région de Nice :	....
Nice devient française en :	....
Nombre d'habitants :	....
Nombre d'étudiants inscrits à l'université Nice Sophia-Antipolis :	....
Âge des maisons du vieux Nice :	plus de .... ans.

Personnages

De gauche à droite et de haut en bas : **Lionel Grelet, Paolo Lombardi, Florian, Amélie,
le père d'Amélie, la mère d'Amélie.**

Avant de lire

1 Les mots suivants sont utilisés dans le chapitre 1. Associez chaque mot à l'image correspondante.

a des liasses de billets   c une bousculade

b un quai   d un char

2 Les expressions suivantes sont utilisées dans le chapitre 1. Associez chaque expression à la définition correspondante.

a rester à l'écart   c avoir ses parent sur le dos

b prendre son élan   d être fou de rage

1 ☐ C'est être très en colère ou pas content du tout.

2 ☐ Rester à quelques mètres d'un groupe de personnes.

3 ☐ Faire un pas en arrière, puis commencer à courir.

4 ☐ Être toujours surveillé par son père ou sa mère.

Le sac d'Amélie

« O n ne va pas pleurer quand même ! On se revoit demain pour  la grande parade et on se parle sur Facebook dans quoi... disons, deux heures au plus tard ? »

Amélie éclate de rire. Elle adore être avec ses copains. La semaine passée en Corse avec eux était « super méga cool » et leurs « au revoir » ne sont pas tristes non plus. Ils s'embrassent avec tellement de passion qu'ils créent une bousculade devant les deux portes où attendent les passagers du ferry Bastia-Nice. Pour ne pas tomber, Amélie attrape le bras de Charlotte, qui, elle, s'accroche aux épaules de Xavier qui, lui, se retient à la taille de Juliette. Guillaume, resté à l'écart, prend alors son élan et... pousse joyeusement le reste de la troupe. Ils rient tellement qu'ils ne peuvent éviter de tous tomber par terre. Ils

entraînent même trois autres passagers et leurs bagages dans leur chute. Tout le monde se relève avec difficulté et essaye de retrouver ses affaires au milieu des protestations des autres passagers.

— Oh, là, là, souriez messieurs dames ! La vie est belle ! leur lance Amélie alors que les portes du bateau commencent à s'ouvrir.

Bientôt suivie de tous ses camarades, Amélie attrape son sac et descend du bateau en hurlant « Nice, nous revoilà ».

Encore quelques au revoir sur le quai, puis chacun des amis prend le chemin de son domicile. Amélie se dirige vers la gare des bus. Elle est heureuse de retrouver Nice. Elle adore sa ville natale : la mer, du soleil toute l'année et les montagnes qui ne sont pas loin. Un vrai paradis ! Sans oublier le carnaval, le grand rendez-vous annuel niçois, et puis… Florian, son petit copain. Elle est impatiente de le retrouver. Florian n'a pas pu venir en Corse, parce qu'il faisait un stage de conduite accompagnée (Amélie espère bien, elle aussi, apprendre à conduire dès l'année prochaine lorsqu'elle aura seize ans).

Amélie monte dans le bus numéro 20 et écrit un texto à Florian pour le prévenir de son arrivée. Puis, pendant les dix minutes du trajet, elle fait dans sa tête le programme des prochains jours : il lui reste deux jours de vacances et elle veut en profiter à fond ! Amélie change ensuite de moyen de transport et prend la ligne de tramway T1. Elle descend à l'arrêt Jean Médecin. Encore cinq minutes de marche à pied avant d'arriver devant son immeuble.

— C'est moi ! crie-t-elle lorsqu'elle rentre dans l'appartement.

Personne ne lui répond. Ses parents ne sont pas là. Elle n'est pas étonnée. Il faut dire que fin février est toujours une période intense pour eux : ils sont carnavaliers [1] et construisent chaque année l'un

---

1. **Un carnavalier** : personne qui participe à l'organisation d'un carnaval.

des chars qui défilent dans les rues. Cette année, ils ont le grand honneur de fabriquer le char le plus important du carnaval : le *Roi de la vitesse*. Il s'agit d'un énorme pilote qui conduit un engin [2] mi-fusé, mi-voiture. Alors, depuis six mois, ils passent plus de temps à préparer le char qu'à s'occuper de leur fille. Mais avoir un peu moins ses parents sur le dos plaît énormément à Amélie.

Amélie a juste le temps de jeter ses affaires dans sa chambre que la sonnerie de la porte d'entrée retentit. « Je ne suis pas la seule à être impatiente », se dit-elle et elle se précipite pour ouvrir. Florian, un grand sourire sur les lèvres, lui tend un sac en papier :

— Déjà petit-déjeuné ? Envie de quelques ganses [3]?

— J'adore ces beignets et je meurs de faim ! Tu es trop mignon ! Le plus mignon de tous !

Elle se jette dans ses bras et l'embrasse. Elle entraîne ensuite Florian dans la cuisine. Elle met la cafetière en route et ils s'installent dans le salon où elle lui raconte sa semaine en Corse. Au bout d'un quart d'heure, le garçon l'interrompt :

— Au fait, si ça t'intéresse, mon stage de conduite s'est super bien passé.

— Tu me l'as déjà dit au moins quatre fois au téléphone !

Florian sourit : c'est vrai qu'ils se sont envoyé environ cinquante textos par jour et qu'ils ont passé au moins une heure, chaque soir, à se dire qu'ils se manquaient... Amélie se souvient alors qu'elle lui a ramené un cadeau. Elle va chercher son sac à dos dans sa chambre et demande à Florian de fermer les yeux. Elle ouvre son sac et...

— Qu'est-ce que c'est que ça ?

2. **Un engin** : ici, véhicule.
3. **Une ganse** : petit gâteau qu'on mange à Nice pendant le carnaval.

— Quoi ? On t'a volé mon cadeau ? Tu peux avouer que tu ne m'as rien acheté, ce n'est pas grave...

— Mais regarde !

— Je peux ouvrir les yeux ?

— Mais bien sûr ! Regarde, je te dis !

Florian attrape le sac et vide son contenu sur la table basse du salon : deux liasses de billets de cinq cents euros, un pistolet, un téléphone portable, un briquet, un stylo, une enveloppe et un journal.

— Tout ça pour moi ? demande Florian, sympa !

Le visage d'Amélie est devenu tout blanc. Elle a peur.

— Ce n'est pas mon sac.

— Je veux bien te croire sur parole. Mais à qui est-il alors ?

— Je n'en sais rien.

Amélie repense à la descente du ferry. Elle se revoit embrasser ses amis, elle revit dans sa tête la bousculade, la chute, les sacs qui se mélangent...

— Je croyais que c'était mon sac, j'ai exactement le même. Je me suis trompée.

— Ce n'est pas bien grave, ça peut arriver à tout le monde. Je me demande qui voyage avec autant d'argent et une arme à feu. Il faut essayer de retrouver le propriétaire : tu ne te rappelles pas d'un passager à l'allure de gangster ou avec une grosse cicatrice sur le front ?

— Tu ne me fais pas rire Florian. Le propriétaire de ce sac doit être fou de rage et il va chercher à le récupérer par tous les moyens. Et s'il remonte jusqu'à moi...

Florian prend Amélie dans ses bras. Son amie a raison, elle est en danger : il promet de la protéger.

Compréhension écrite et orale

1 Lisez le chapitre puis cochez la bonne réponse.

1 Amélie habite
a ☐ en Corse. b ☒ en ville. c ☐ à la campagne.

2 Aujourd'hui, elle est
a ☐ au lycée. b ☒ en vacances. c ☐ en voyage.

3 Elle rentre chez elle en
a ☒ bateau. b ☐ voiture. c ☐ tramway et bus.

4 Elle trouve sa ville
a ☐ horrible. b ☒ formidable. c ☐ affreuse.

5 Quand elle arrive dans son appartement, ses parents
a ☐ l'attendent. b ☐ l'embrassent. c ☒ sont partis.

6 Les parents d'Amélie construisent un char pour
a ☐ le bal. b ☒ le carnaval. c ☐ le festival.

7 Florian, le petit ami d'Amélie, est
a ☐ corse. b ☐ en Corse. c ☒ trop mignon !

8 Pour le petit déjeuner, Florian apporte à Amélie
a ☐ des fleurs. b ☐ des gâteaux. c ☒ un bijou.

9 Dans le sac, Amélie et Florian trouvent
a ☐ des cigarettes. b ☒ de l'argent. c ☐ un livre.

10 Le propriétaire du sac doit être fou de rage : Amélie est
a ☒ en danger. b ☐ heureuse. c ☐ chanceuse.

2 Écoutez les enregistrements, puis complétez le tableau.

	1	2	3	4	5	6
Amélie						
Florian						
Les parents d'Amélie						

Grammaire

Le pluriel des mots se terminant en -al

Les mots qui se terminent en -al font leur pluriel en -aux.

un journal → *des journaux*   *un cheval* → *des chevaux*

Mais il y a des exceptions, bien sûr ! Ce sont les mots **bal, carnaval, chacal, festival, récital, régal**. Ils font leur pluriel en -als.

un festival → *des festivals*

3 Récrivez les phrases en mettant les mots soulignés au pluriel. N'oubliez pas d'accorder les autres éléments de la phrase.

1 Il y a un article sur le carnaval de Nice dans le journal régional.
Il y a un article sur des carnavals de Nice dans le journal régional

2 Le cheval est un animal moins sauvage que le chacal.
Des chevaux est des animaux moins sauvage que les chacals

3 Un récital a lieu durant le bal.
Des récital a lieu durant des baux

4 Ce dîner est un festival de saveurs, un vrai régal !
Ce dîner est des festivals de saveurs, des vrai régals !

Enrichissez votre vocabulaire

4 Complétez les phrases à l'aide des mots proposés. Ils ont tous un rapport avec le carnaval.

Chariot   Parade   costume

| chars | confettis | défilé | déguisement |
| fête | masque | musique | spectateurs |

mask

1 Des milliers de *spectateurs* regardent passer le *défilé* .
2 Tout le monde est heureux, c'est la *fête* !
3 La *musique* est très forte au passage des *chars* .
4 Qui va nettoyer les milliers de *confettis* sur le sol ?
5 On ne reconnaît pas les gens avec leur *masque* .
6 Toutes les petites filles veulent un *déguisement* de princesse.

15

5 Cochez le déguisement qui correspond aux éléments donnés.

Il porte des chaussures bleues, un collant doré et une longue cape bleue.
Un masque noir lui cache une partie du visage.
Il a une large ceinture violette avec des symboles dorés.

1 ☐   2 ☐   3 ☐

Production écrite et orale

DELF **6** Ouvrez votre sac, votre cartable ou votre valise et dites ce qu'il y a à l'intérieur.

7 Décrivez un déguisement de carnaval.

8 Faites une recherche sur un carnaval de votre choix et présentez-le à l'oral.

Avant de lire

1 Les expressions suivantes sont utilisées dans le chapitre 2. Associez chaque expression à la définition correspondante.

a donner son identité

b faire une critique

c être lourd

d tomber dans les pommes

e resserrer son étreinte

f donner un ordre

g emprunter un livre

h pivoter sur soi

1 ☐ Le prendre pour le rendre un peu plus tard.

2 ☐ Dire son nom et son prénom.

3 ☐ Faire souvent des réflexions idiotes et embêter les gens.

4 ☐ Se sentir soudain très faible et s'évanouir.

5 ☐ Dire avec autorité à quelqu'un les choses à faire.

6 ☐ Se retourner.

7 ☐ Serrer encore plus fort.

8 ☐ Donner un avis, souvent négatif, sur quelque chose ou quelqu'un.

2 Les mots suivants sont utilisés dans le chapitre 2. Associez chaque mot à l'image correspondante.

a des cartes postales

b les étalages du marché

c la foule

d l'épaule

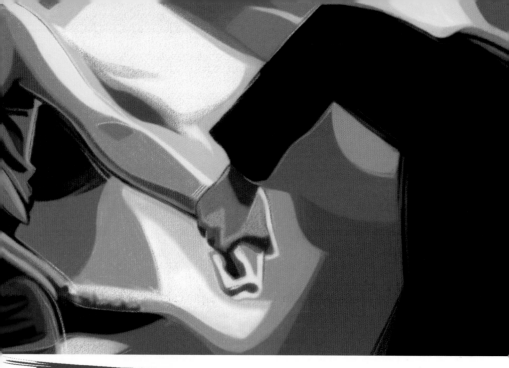

L'échange

Comment rendre ses affaires à quelqu'un qu'on ne connaît pas ? Amélie et Florian se posent cette question depuis qu'ils ont découvert le contenu du sac à dos. Amélie réfléchit tout haut :

— Cet homme a certainement mon sac qui contenait mes vêtements, deux livres, un paquet de bonbons et ma trousse de toilette. J'avais mon portefeuille et mon téléphone dans mes poches. Il n'a donc aucun moyen de connaître mon identité et de me retrouver.

— Cool, enchaîne Florian, alors on peut garder l'argent et jeter le reste à la mer.

Amélie n'en croit pas ses oreilles : tous ces billets (ils ont compté, il y a 40 000 euros) et cette arme à feu lui font peur et Florian ne pense qu'à l'argent !

— C'est certainement de l'argent volé, alors tu sais... Le reste du sac ne vaut rien d'ailleurs : regarde cette vieille carte postale dans l'enveloppe, elle a au moins cent ans et elle est très moche[1]. Même le téléphone n'est pas de la dernière génération.

Comme s'il voulait répondre à la critique du jeune homme, le téléphone se met à sonner ou plutôt, à chanter.

— Qu'est-ce que tu as fait ? demande Amélie qui sursaute.

— Rien ! se défend Florian qui tend le portable à Amélie. Je connais cette chanson... C'est quoi déjà ?

— *Una storia importante*, d'Eros Ramazzotti.

— Ah oui ! Une chanson de filles du siècle dernier...

Prise de panique, Amélie n'ose pas répondre et jette le téléphone par terre. La sonnerie s'arrête, puis reprend quelques secondes plus tard.

— Qu'est-ce qu'on fait ? demande Amélie.

— Réponds, toi !

Amélie respire profondément avant de décrocher.

— Qui est à l'appareil ? demande une voix inconnue.

Florian lui fait signe de se taire. Mais la voix se fait menaçante.

— Je vais te dire qui tu es : tu t'appelles Amélie Beauchamps. Et tu as quelque chose qui m'appartient. Pas vrai ?

Amélie répond « oui » d'une petite voix.

— J'espère que personne n'est au courant !

— Non, dit-elle cette fois, toujours sur le même ton.

— Très bien. Rendez-vous sur le cours Saleya dans quarante minutes. Je te rappellerai sur ce téléphone.

---

1. **Moche (fam.)** : désigne quelque chose ou quelqu'un de laid, contraire de beau.

L'homme mystérieux raccroche enfin.

— Comment sait-il mon nom ?

Amélie repense au contenu de son sac. Elle se souvient alors qu'elle a emprunté l'un des deux livres à la bibliothèque de son quartier. Et qu'elle s'est servie de sa carte de membre, avec son nom, son adresse et sa photo, comme marque-page ! Elle n'a pas le choix : elle doit obéir à l'inconnu. Au moins, dans une heure tout sera fini.

— Je t'accompagne, dit Florian.

— Non. Il ne doit pas te voir. C'est mieux s'il pense que je suis la seule à savoir.

Amélie arrive sur le cours Saleya par la rue Saint-François-de-Paule. Le cours est noir de monde : les Niçois et les touristes, venus spécialement pour le carnaval, sont nombreux à profiter de cette magnifique journée de février. Les terrasses de café sont pleines, tout comme les allées du marché aux légumes et aux fruits. Plus loin, le marché aux fleurs propose des étalages de toutes les couleurs et de toutes les senteurs. En temps normal, Amélie adore venir s'y promener, mais aujourd'hui, elle a une grosse boule dans le ventre. L'inconnu a bien choisi son coin pour l'échange des sacs : il pourra disparaître facilement dans la foule. « Il connaît bien la ville » pense Amélie. Le téléphone portable de l'inconnu sonne.

— Marche vers la place Charles-Félix !

Elle remarque un léger accent dans la voix qu'elle n'avait pas remarqué au premier appel. Pas un accent niçois, mais plutôt étranger.

— Je vais te suivre et quand je te parlerai, ne te retourne surtout pas et continue à marcher lentement.

Amélie suit les instructions. Savoir que quelqu'un l'observe la terrorise. Soudain, elle sent une main se poser sur son épaule et on lui crie à l'oreille : « Bouh ! ».

Elle se retourne, prête à tomber dans les pommes. C'est Alexis, le plus lourd de ses copains de classe.

— On se promène sans Florian ? Que se passe-t-il ? Vous n'êtes plus ensemble ? J'ai ma chance alors…

Amélie tente de se débarrasser d'Alexis, mais il est très collant [2]. Elle s'énerve et lui crie dessus.

— Ça ne va pas ma vieille [3], répond-il. T'es malade, faut te faire soigner !

Alexis s'éloigne et Amélie continue de marcher. Cet idiot lui a fait la peur de sa vie et elle a les jambes qui tremblent. Elle arrive au début du marché aux fleurs quand une main se pose à nouveau sur son épaule. Elle s'arrête.

— Continue, j'ai dit ! Laisse-moi prendre le sac et je te passe le tien. Tu as bien tout laissé dedans ? Pas un mot à personne. Si je n'entends plus parler de toi, tu n'entendras plus parler de moi. C'est clair ?

Amélie a à peine le temps de répondre « d'accord » que l'homme lui arrache le sac et lâche son épaule. Elle pivote sur elle-même, mais l'inconnu est déjà loin.

— Ouf, c'est fini !

Mais elle fait moins de cent mètres qu'on l'attrape par le bras :

— Tu te fiches de moi [4] ! Il manque cinq mille euros !

— Ce n'est pas possible, répond Amélie toute tremblante.

— Qui d'autre est au courant ?

L'homme resserre son étreinte et l'oblige à tout dire.

— Ton petit copain et toi, vous avez voulu me tromper. Je n'aime pas ça. On va régler ça autrement.

---

2. **Collant** : personne dont on n'arrive pas à se débarrasser.
3. **Ma vieille/Mon vieux** : façon familière d'appeler quelqu'un.
4. **Se ficher de quelqu'un** : se moquer de quelqu'un.

Compréhension écrite et orale

1 Lisez le chapitre, puis remettez les phrases dans l'ordre chronologique de l'histoire.

a ☐ L'inconnu oblige Amélie à tout lui dire.

b ☐ Amélie rencontre Alexis.

c ☐ Florian propose de garder l'argent et de jeter le reste du sac.

d ☐ « Marche vers la place Charles-Félix. »

e ☐ Amélie arrive sur le cours Saleya.

f ☐ L'inconnu reprend son sac.

g ☐ « Je vais te dire qui tu es : tu t'appelles Amélie Beauchamps. »

h ☐ Amélie pense que l'inconnu ne peut pas la retrouver.

2 Écoutez l'enregistrement du chapitre, puis répondez aux questions.

1 Qui veut garder l'argent du sac ?

2 Qui aime normalement se promener sur le cours Saleya ?

3 Qui fait peur à Amélie en lui criant « Bouh » dans les oreilles ?

4 Qui serre très fort le bras d'Amélie ?

5 Qui emprunte souvent des livres à la bibliothèque ?

6 Qui profite de la magnifique journée de février ?

3 Associez chaque fin de phrase au début correspondant.

1 ☐ L'argent et l'arme à feu sont   a dans la foule.

2 ☐ Le portefeuille d'Amélie est   b dans le sac à dos.

3 ☐ La carte postale est   c à la bibliothèque.

4 ☐ Amélie sent une main   d dans l'enveloppe.

5 ☐ Amélie a emprunté un livre   e sur son épaule.

6 ☐ L'inconnu disparaît   f dans sa poche.

Enrichissez votre vocabulaire

4 Complétez les expressions familières avec les noms de fruit correspondants.

> citron épinards oignons pêche poire
> pommes prunes radis salades

1 Ne pas avoir un ...., c'est ne pas avoir d'argent.

2 Quand Amélie est en pleine forme, elle a la ....

3 Alexis veut tout savoir, pourtant ce ne sont pas ses ....

4 L'inconnu ne dit pas la vérité : il raconte des ....

5 Alexis est tout petit, il est haut comme trois ....

6 Amélie n'écoute pas Alexis. Ce qu'il dit compte pour des ....

7 L'inconnu veut presser Amélie comme un .... pour tout savoir.

8 Il faut parfois couper la .... en deux pour satisfaire tout le monde.

9 Gagner plus d'argent améliore le quotidien : ça permet de mettre du beurre dans les ....

5 Trouvez le sens de ces phrases tirées du chapitre 2.

1 Amélie suit les instructions de l'inconnu.

a ☐ Elle fait ce que dit l'inconnu.

b ☐ Elle marche derrière l'inconnu.

2 Amélie tente de se débarrasser d'Alexis.

a ☐ Elle veut qu'Alexis reste avec elle.

b ☐ Elle essaye de faire partir Alexis.

3 La rue est noire de monde.

a ☐ La rue est vide.

b ☐ Il y a beaucoup de monde dans la rue.

4 Alexis lui a collé la peur de sa vie.

a ☐ Elle n'a jamais eu aussi peur.

b ☐ Elle trouve Alexis ennuyeux.

Grammaire

Il faut + infinitif

La forme **Il faut** exprime une obligation ou une nécessité.
Il faut rendre le sac à l'inconnu.

La forme négative **Il ne faut pas** exprime une interdiction.
Il ne faut pas garder l'argent.

Il faut et **Il ne faut pas** sont suivis d'un verbe à l'infinitif.
En langage familier, les deux formes deviennent **Faut** et **Faut pas**.
Faut te faire soigner !

6 Récrivez les phrases en utilisant *Il faut* ou *Il ne faut pas.*

1 C'est interdit de prendre le bus sans ticket.

....

2 On doit changer de tramway à la station *La plage.*

....

3 On ne doit pas serrer la gorge de quelqu'un.

....

4 Tu dois arrêter d'être lourd !

....

5 Dans les hôpitaux, il est interdit de faire du bruit.

....

6 Si tu veux devenir avocat, tu dois étudier le droit.

....

Production écrite et orale

DELF **7** Vous est-il déjà arrivé d'avoir très peur comme Amélie ? Racontez dans quelles circonstances.

DELF **8** Que faites-vous si vous êtes à la place d'Amélie et Florian ?

Brice de Nice : le surfeur délirant[1] du cinéma !

Titre : Brice de Nice
Date de sortie : 6 avril 2005.
Réalisateur : James Huth.
Acteur principal : Jean Dujardin (Brice de Nice).
Genre : Comédie.
Nationalité : Française.
Nombre d'entrées en France : plus de 4,3 millions.
Nombre de récompenses : 5.

Brice de Nice, trente ans, mais éternel adolescent, rêve d'être un grand surfeur. Il passe ses journées à attendre LA grosse vague sur les plages de Nice et à se moquer (il dit « casser ») de ses amis.

Son père, un riche homme d'affaires, est arrêté par la police et Brice, pour la première fois de sa vie, doit travailler pour gagner de l'argent...

1 Les affirmations sont-elles vraies (V) ou fausses (F) ?
Corrigez les affirmations qui sont fausses.

	V	F
1 Le film est sorti au cinéma en 2013.	☐	☐
2 Brice, le héros, est originaire de Nice.	☐	☐
3 D'après la photo, sa couleur préférée est le rouge.	☐	☐
4 Sur sa moto, il transporte une planche de surf.	☐	☐
5 Son nom est marqué sur son tee-shirt.	☐	☐

1. **Délirant** : amusant, drôle.

Avant de lire

1 Les mots suivants sont utilisés dans le chapitre 3. Associez chaque mot à l'image correspondante.

a un massif de fleurs   d une plage   g un kilt écossais

b un immeuble   e une fontaine   h une casquette

c des lunettes   f un arbre   i un téléphone

Florian

Florian s'en veut. D'abord, il a laissé Amélie aller toute seule au rendez-vous avec l'inconnu du sac à dos (bien sûr, Amélie préférait y aller seule, mais il aurait dû insister et l'accompagner). Ensuite, et surtout, il a gardé pour lui dix billets de cinq cents euros, sans le dire à Amélie. Il a agi sans réfléchir. Il a pensé que cinq mille euros était une sacrée somme pour lui et ne représentait seulement que dix petits billets pour l'inconnu. Mais comment l'inconnu va-t-il réagir ? Peut-il être violent ? Il n'en sait rien. Alors, plus il y pense et plus il a des remords. Mais c'est trop tard et son vol a peut-être mis Amélie en danger. Il s'était promis de la protéger et il a fait exactement le contraire. C'est pourquoi Florian s'en veut et attend avec impatience des nouvelles de sa petite amie.

Il essaye désespérément de l'avoir au téléphone, mais il tombe toujours sur la messagerie. Plus le temps passe et plus Florian est angoissé.

Son téléphone sonne enfin deux heures après le départ d'Amélie. Voir apparaître son numéro et sa photo sur l'écran de son portable est un soulagement... de courte durée : ce n'est pas son amie qui lui parle.

— Toi et ta copine, vous vous croyez malins ? Je n'ai pas du tout envie de plaisanter.

— Tout est de ma faute. Amélie n'était pas au courant. J'ai pris l'argent tout seul.

Florian essaye sans succès de s'excuser et de calmer son interlocuteur. Celui-ci n'a pas l'intention de perdre son temps et s'énerve. Il fixe un rendez-vous près de la promenade des Anglais à dix-sept heures. Florian devra mettre l'argent dans un sac plastique et le déposer dans le grand massif de fleurs qui se trouve à gauche de la fontaine des Phocéens, dans le jardin de l'Armente.

— Tu connais l'endroit ?

— Bien sûr. Mais vous trouverez l'argent dans les fleurs ?

— Ne t'en fais pas, c'est mon problème. Dès que tu as déposé l'argent, tu t'en vas. Mais attention, pas de mauvaises surprises cette fois. Je t'observerai. Compris ?

— Et Amélie ?

— Quand j'aurai l'argent, je te recontacterai. Si tu fais ce que je dis, tu la reverras. Sinon...

L'inconnu ne termine pas sa phrase et raccroche. Florian se prend la tête entre les mains. Il a mis Amélie dans de sales draps, mais il se promet de tout faire pour la sauver.

Florian part de chez lui bien avant l'heure du rendez-vous. Il ne veut surtout pas être en retard. Il arrive sur la promenade

des Anglais en pleine bataille des fleurs : de gigantesques chars décorés de milliers de fleurs défilent. Sur chacun d'eux, des personnages déguisés envoient des fleurs en direction de la foule. Leurs costumes sont magnifiques, mais Florian n'a pas le temps de s'attarder. Il traverse la foule et se rend dans le jardin de l'Armente. Il passe une première fois devant la fontaine et repère le massif décrit par l'inconnu. Il regarde autour de lui. L'homme ne doit pas être loin. Il se cache sans doute parmi les touristes. Peut-être s'est-il déguisé pour passer inaperçu ? Florian essaye de deviner qui il peut être. Le type avec le kilt écossais ? Celui en Obélix ? Ou encore celui en Na'vi, les habitants de Pandora dans le film *Avatar* ? Ou alors, il l'observe à travers des jumelles depuis la fenêtre d'un immeuble ? Florian cherche sans trouver. Il regarde sa montre : quatre heures et demie. Il s'assoie sur un banc et attend.

À cinq heures moins cinq, il se lève et se dirige vers le massif de fleurs. Il essaye d'avoir l'air le plus naturel possible. Personne ne fait attention à lui. Il dépose le sac en plastique dans le massif. L'inconnu lui a bien dit de quitter immédiatement les lieux. Mais Florian veut être certain que quelqu'un viendra prendre le sac. Il commence par se diriger vers la promenade des Anglais pour se joindre à la foule qui regarde le défilé. Il change ensuite plusieurs fois de place, puis revient sur ses pas et se cache derrière un arbre. Suffisamment loin de la fontaine pour ne pas être vu, mais suffisamment près pour voir l'homme qui viendra chercher l'argent.

Un homme de taille moyenne, portant une casquette et des lunettes noires s'approche des fleurs cinq minutes plus tard. Il se penche et ramasse le sac. Il marche ensuite à pas rapides en direction de Florian. Le jeune homme panique. Il a encore été imprudent. L'homme continue d'avancer vers lui. Florian veut se

mettre à courir, mais il reste pétrifié de peur. Il doit se reprendre. Il aperçoit trois policiers à une centaine de mètres. Ils sont nombreux à assurer la sécurité dans la ville pendant le carnaval. Florian hésite. Rien de plus facile : il peut les appeler et faire arrêter l'inconnu. Mais que deviendrait Amélie ? Il doit se décider dans les secondes qui suivent. Il rentre ses épaules et se fait tout petit. Il attend quelques secondes encore, puis il jette de nouveau un œil : l'inconnu a disparu. Où est-il passé ? Florian regarde côté mer et il l'aperçoit qui tente de traverser la promenade des Anglais au milieu du défilé. Florian décide de le suivre. L'homme passe entre deux chars et descend sur la plage. Florian longe la promenade sans le quitter des yeux. L'inconnu parcourt environ deux cents mètres, puis il rejoint de nouveau la promenade qu'il traverse à la hauteur de l'hôtel *Negresco*. Florian tente de le suivre, mais un char l'en empêche. Lorsque celui-ci est passé, l'homme a disparu. Il a dû prendre une rue latérale. Mais laquelle ? Impossible de deviner. Florian s'aventure dans la rue de Rivoli. Puis, il revient sur ses pas, passe devant l'entrée du *Negresco* et essaye la rue de Cronstadt. L'inconnu s'est volatilisé.

Le téléphone de Florian émet alors la sonnerie qui annonce l'arrivée d'un texto :

> Ta copine sera libre demain soir.
> Si tu restes tranquille.

Il répond :

> Pourquoi demain ?
> Je vous ai donné l'argent !

Il attend, mais ne reçoit aucune réponse.

Compréhension écrite et orale

1 Lisez le chapitre, remettez les mots dans l'ordre, puis dites si les affirmations sont vraies (V) ou fausses (F).

V F

1 porte/tout seul/Florian/le sac/à l'inconnu ☐ ☐
2 billets/dix/a pris/Florian/le/sac/dans ☐ ☐
3 de fleurs/Le sac/dans un/massif/près de la/est/plage ☐ ☐
4 casquette/porte/noires/L'inconnu/et des/lunettes/une ☐ ☐
5 les policiers/prévenir/Florian/crie/pour ☐ ☐
6 l'inconnu/perd/la trace/de/Florian ☐ ☐

2 Écoutez l'enregistrement du chapitre et cochez les mots que vous entendez.

1 ☐ remords
2 ☐ sac plastique
3 ☐ promenade
4 ☐ appartement
5 ☐ bateau
6 ☐ copine
7 ☐ hôtel
8 ☐ carnaval
9 ☐ inconnu
10 ☐ kilt

3 Cochez la bonne réponse pour compléter les phrases.

1 Florian s'en veut, car il a laissé Amélie aller rencontrer l'inconnu
a ☐ avec personne. b ☐ toute seule. c ☐ avec Alexis.

2 Le téléphone de Florian sonne, mais c'est l'inconnu qui
a ☐ sonne. b ☐ répond. c ☐ ne dit rien.

3 Pour récupérer son argent, l'inconnu donne à Florian
a ☐ de l'argent. b ☐ un rendez-vous. c ☐ une fleur.

4 Sur la promenade des Anglais, il y a beaucoup de personnes
a ☐ déguisées. b ☐ absentes. c ☐ seules.

5 Pour observer l'inconnu, Florian se cache derrière un
a ☐ massif de fleurs. b ☐ policier. c ☐ arbre.

6 L'inconnu passe par
a ☐ la plage. b ☐ la page. c ☐ la rage.

Grammaire

Les prépositions de lieu

Les prépositions de lieu permettent de se situer, de situer des objets ou des personnes dans l'espace.

devant		derrière	
dans/à l'intérieur de		à l'extérieur de	
sur		sous	
à droite		à gauche	
ici		là-bas	
tout droit		en face	
contre		entre	

DELF 4 **Soulignez la bonne préposition.**

1 Florian marche le long de la promenade des Anglais. Marche-t-il *dans* ou *devant* la rue ?

2 Florian aperçoit le massif de fleurs et passe une première fois *devant* ou *entre* le massif ?

3 Florian continue sans changer de direction ; c'est-à-dire qu'il continue *tout droit* ou *à droite* ?

4 Florian ne veut pas que l'inconnu le voit. Il se cache *devant* ou *derrière* un arbre ?

5 L'inconnu cherche le sac *dans* le massif de fleurs ou *en face du* massif de fleurs ?

6 La plage est-elle *en face* ou *contre* la promenade des Anglais ?

7 Le téléphone de Florian est-il *dans* ou *sur* sa poche ?

8 Florian est ici et l'inconnu est *là-bas* ou *tout droit* ?

Enrichissez votre **vocabulaire**

5 Utilisez les prépositions de lieu pour vous repérer dans Nice.
Vous marchez avenue Thiers et passez devant la gare S.N.C.F. Nice-Ville.

1   Vous prenez la
première à droite :
dans quelle avenue
êtes-vous ?

2   Vous longez cette
avenue : devant
quelle basilique
passez vous ?

3   Vous prenez ensuite
la quatrième à
droite : comment
s'appelle-t-elle ?

4   Vous continuez tout
droit et apercevez
un jardin public :
quel est son nom ?

5   Vous tournez à gauche juste avant de l'atteindre et allez au bout de
cette rue. Quelle promenade célèbre atteignez-vous ? Pouvez-vous
aller en face ?

6   Vous longez la plage jusqu'au Jardin Albert 1ᵉʳ où un touriste vous
arrête et vous demande « Vous savez où se trouve la poste la plus
proche ? » Aidez-le.

Production écrite et orale

6 Avez-vous déjà eu des remords comme Florian ? Racontez.

7 Après le texto de l'inconnu, que conseillez-vous de faire à Florian ?

Avant de lire

1 Les expressions suivantes sont utilisées dans le chapitre 4. Connaissez-vous leur sens ?

1 Ne pas fermer l'œil de la nuit
- **a** ☐ Très mal dormir
- **b** ☐ Très bien dormir
- **c** ☐ Dormir les yeux ouverts

2 Planer à 3 000 mètres d'altitude
- **a** ☐ Prendre l'avion
- **b** ☐ Être distrait ou rêveur
- **c** ☐ Sauter en parachute

3 Se faire la malle
- **a** ☐ Faire ses valises
- **b** ☐ Fuir
- **c** ☐ Se blesser

4 Ne pas en croire ses oreilles
- **a** ☐ Avoir les oreilles sales
- **b** ☐ Se boucher les oreilles
- **c** ☐ Trouver quelque chose incroyable

2 Les mots suivants sont utilisés dans le chapitre 4. Associez chaque mot à l'image correspondante.

- **a** un journal
- **b** un saladier
- **c** la cuisine
- **d** une planète
- **e** un ponton
- **f** un timbre

1 ☐

2 ☐

3 ☐

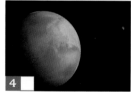
4 ☐

5 ☐

6 ☐

Une carte postale

Florian n'a pratiquement pas fermé l'œil de la nuit. Il a d'abord tourné la situation dans tous les sens sans réussir à trouver de solutions miracles. Puis il a imaginé les pires scénarios : Amélie disparaissait pour toujours, ou alors on la retrouvait morte sur la plage. Enfin, vers quatre heures du matin, il a décidé de prévenir les parents d'Amélie. Cela ne réglait pas le problème, mais au moins, cette décision l'avait calmé et l'avait aidé à trouver le sommeil. Mais quand on s'endort si tard (ou si tôt), on ne se réveille pas de bonne heure : il est presque midi quand Florian ouvre les yeux.

— Déjà midi !

Il s'habille en vitesse et un quart d'heure plus tard, il sonne à la porte de l'appartement de son amie.

C'est la mère d'Amélie, Françoise, qui lui ouvre la porte.

— Florian ! Ça me fait plaisir de te voir. Amélie n'est pas avec toi ?

La voix de son mari, Christophe, arrive de la cuisine :

— Tu sais bien qu'elle est en Corse et qu'elle ne revient que dans la journée. Je te l'ai déjà dit trois fois ce matin.

Les parents d'Amélie sont vraiment de drôles de gens. Ils sont très sympathiques, mais ils donnent l'impression de toujours planer à trois milles mètres d'altitude. Comment peut-on oublier la date de retour de vacances de sa propre fille ? « Le carnaval occupe vraiment toutes leurs pensées », se dit Florian.

— J'espère qu'elle sera là pour la mise à feu du Roi en tout cas, continue Christophe, ça va être quelque chose.

Françoise propose à Florian de partager leur déjeuner. Ils rejoignent Christophe dans la cuisine, qui est en pleine lecture de *Nice-Matin*. Un saladier contenant une belle salade niçoise se trouve au milieu de la table.

— Je te sers une assiette ?

— Avec plaisir, je n'ai pas pris mon petit déjeuner aujourd'hui.

— Tu n'as pas bonne mine. Ne me dis pas que tu as fait la fête toute la nuit... sans Amélie. Ah, quand le chat n'est pas là, les souris dansent.

— Laisse-le tranquille, Françoise. Et puis, la souris, c'est plutôt ma petite fille chérie !

Florian ne sait pas comment annoncer l'enlèvement d'Amélie. Pendant qu'il mastique une grande fourchette de salade, il essaye de trouver la bonne formule dans sa tête. Christophe se lance dans la lecture à voix haute de plusieurs articles sur le carnaval.

— Un vrai succès cette année, conclut-il fièrement. Tiens, Françoise, regarde cette photo. Tu reconnais le monsieur qui est venu à l'atelier hier après-midi ?

— Comment oublier un si beau jeune homme ? Et bien élevé en plus. Ah, ces Italiens...

— Et qui s'intéresse à notre métier ! Il a posé plein de questions sur la fabrication du char. Je lui ai tout expliqué et je lui ai montré de fond en comble !

Christophe insiste pour faire lire à Florian l'article sur ce Paolo Lombardi, présenté comme un collectionneur[1] et un philatéliste[2] mondialement connu. La photo de l'Italien illustre un article consacré à une vente aux enchères qui doit se dérouler la semaine prochaine à l'hôtel *Negresco*. L'article se termine par une phrase qui attire l'attention de Florian : « Si la *Tour Eiffel* ne réapparaît pas d'ici là, la vente risque de perdre son plus grand intérêt ».

— La tour Eiffel a disparu ? demande Florian surpris.

Les parents d'Amélie éclatent de rire :

— Tu vis sur quelle planète ? On parle de cette vente aux enchères depuis trois semaines. Carnaval mis à part, bien sûr ! La *Tour Eiffel* est un timbre célèbre.

— Disons plutôt un timbre et une carte postale, précise Françoise. La carte est signée par Gustave Eiffel en personne. Il l'a envoyée à Vincent Van Gogh le jour de l'ouverture de l'exposition universelle de Paris en 1889. Ce n'est pas rien ! Sa valeur est estimée à plus de trois millions d'euros !

Florian n'en croit pas ses oreilles. Il essaye de se souvenir de la carte postale qui se trouvait dans le sac de l'inconnu. Il l'a regardée rapidement et ne la trouvait pas extraordinaire, plutôt vieille et moche même. Mais il y avait bien un timbre avec la tour Eiffel dessus.

— Et cette carte postale a disparu ?

---

1. **Un collectionneur** : personne qui garde des objets identiques.
2. **Un philatéliste** : collectionneur de timbres.

— Exactement ! Et le représentant de la grande entreprise américaine qui possède la carte a aussi disparu depuis deux jours. Un certain Lionel Grelet. Il a embarqué sur le ferry Bastia-Nice hier et depuis… plus de traces de lui ! La police se demande s'il ne s'est pas fait la malle[3] avec la carte. Il n'a pas débarqué à Nice en tout cas.

Toutes ces informations font tourner la tête de Florian. Il essaye d'y mettre de l'ordre, mais Christophe l'interrompt dans ses réflexions.

— On doit te mettre à la porte. Nous avons encore beaucoup de choses à préparer pour la dernière journée du carnaval. On te voit ce soir avec Amélie au ponton ? C'est de là que le char du Roi sera embarqué pour finir brûlé en mer.

Christophe et Françoise embrassent un Florian toujours perdu dans ses pensées.

— Ça ne va pas ? lui demande Françoise. Au fait pourquoi es-tu passé nous voir ? Tu avais besoin de quelque chose ?

— Allez, allez, Françoise, laisse-le tranquille, on est pressés.

Florian hésite une dernière fois, puis préfère ne rien dire. Il retourne chez lui et réfléchit. L'échange du sac d'Amélie pouvait être une petite aventure, un truc[4] réglé facilement entre deux passagers distraits. Mais le hasard en a voulu autrement.

« S'il s'agit de la même carte postale, je suis le seul à savoir qu'en ce moment, elle est à Nice, dans le sac d'un type qui m'a l'air bien louche. Et je suis aussi le seul à pouvoir contacter cet homme. Voilà peut-être une arme utile pour faire libérer Amélie. »

---

3. **Se faire la malle (fam.)** : s'enfuir.
4. **Un truc (fam.)** : synonyme de chose, objet, action.

Compréhension écrite et orale

1 Lisez le chapitre, dites si les affirmations suivantes sont vraies (V) ou fausses (F), puis corrigez celles qui sont fausses.

		V	F
1	Florian a très bien dormi et se lève à dix heures du matin.	☐	☐
2	Les parents d'Amélie sonnent à la porte de l'appartement de Florian.	☐	☐
3	Christophe est dans le salon et écoute de la musique.	☐	☐
4	Florian prend le déjeuner avec eux.	☐	☐
5	Aucun article du journal ne parle du carnaval.	☐	☐
6	Paolo Lombardi est un collectionneur italien.	☐	☐
7	La *Tour Eiffel* dont parle le journal est un monument de Paris.	☐	☐
8	Françoise et Christophe n'ont rien à faire de la journée.	☐	☐

2 Écrivez trois affirmations fausses à partir du texte du chapitre 4, puis corrigez-les.

3 Écoutez l'enregistrement du chapitre, puis répondez aux questions.

1 Pourquoi Florian a-t-il mal dormi ?
2 Pourquoi les parents d'Amélie planent-ils à 3 000 mètres ?
3 Pourquoi Christophe trouve-t-il Paolo Lombardi sympathique ?
4 Pourquoi Florian ne peut-il pas rester chez les parents d'Amélie ?
5 Pourquoi la *Tour Eiffel* a-t-elle autant de valeur ?
6 Pourquoi Christophe donne-t-il rendez-vous à Florian au ponton ?

Grammaire

Les prépositions de temps

Les prépositions de temps permettent de préciser la durée ou le début d'une action.

dans : précise quand une action va commencer.

*Florian a rendez-vous **dans** deux heures.*

depuis : précise le début d'une action toujours en cours.

*On parle de cette vente aux enchères **depuis** trois semaines.*

pendant : précise la durée d'une action terminée.

*Florian a dormi **pendant** huit heures.*

pour : précise la durée d'une action qui doit encore se dérouler.

*Le carnaval de Nice occupe les rues **pour** dix jours.*

en : précise une date.

*[ ] le jour de l'ouverture de l'exposition universelle de Paris **en** 1889.*

Attention ! On dit :

— **en** hiver, **en** été, **en** automne, mais **au** printemps.

— **en** 2013, mais **au** 21ᵉ siècle.

Pour donner l'heure, on utilise **à**.

*J'ai rendez-vous **à** 20 heures.*

4 Choisissez la bonne préposition.

1   Florian est arrivé chez les parents d'Amélie *depuis/pendant* trente minutes.

2   Christophe et Françoise doivent partir *dans/depuis* vingt minutes.

3   Le Roi du Carnaval sera brûlé *à/au* minuit.

4   La vraie tour Eiffel a été construite *au/en* 20ᵉ siècle.

5   Florian est né *pendant/en* 1997.

6   Paolo Lombardi a visité l'atelier des parents d'Amélie *pour/pendant* une heure.

7   Le carnaval a lieu *en/au* hiver.

8   Le défilé commence *au/à* dix heures.

Enrichissez votre **vocabulaire**

5 Les collectionneurs ont souvent de drôles de noms. Devinez ce que chacun collectionne.

a   Le *bédéphile* lit avec plaisir les livres avec des images et des bulles.

b   Le *lépidoptérophile* adore ces insectes souvent très colorés.

c   Le *calcéologiste* en porte deux aux pieds.

d   Le *cinéphile* connaît tout du 7ᵉ art : les acteurs, les réalisateurs, Hollywood...

e   Le *vélocipédiste* pédale toute la journée.

f   L'*odolaphile* a beaucoup de flacons chez lui.

Production écrite et orale

DELF **6** Collectionnez-vous quelque chose ? Expliquez pourquoi et comment vous est venue cette passion.

Les carnavals

Les origines et les traditions

Depuis très longtemps, on fête au mois de février la fin des jours les plus froids de l'année et l'arrivée des premiers beaux jours. Cette période est aussi la période de jeûne [1] quarante jours avant Pâques. On pense d'ailleurs que l'origine du mot *carnaval* vient du latin *Carne levare* (enlever la viande). La période des carnavals commence le six janvier et se termine le jour de Mardi gras, veille du début du carême. Pendant le carnaval, tout est permis ! Tout le monde se promène masqué ou déguisé et peut faire ce qu'il veut... ou presque ! Une tradition veut aussi que les rôles s'inversent : les pauvres jouent le rôle des riches et vice-versa. Rien ne vous empêche de vous déguiser et, pourquoi pas, de changer les rôles dans votre famille ! De très nombreuses villes organisent leur carnaval en France, en Europe et dans le monde entier. Découvrons les plus célèbres…

1. **Le jeûne** : période où l'on se prive de nourriture.

Le plus fou à… Rio de Janeiro

C'est sans doute le plus connu et le plus grand carnaval du monde. Le premier jour, le maire de la ville remet la clé de Rio au roi du carnaval, Momo. Cet habitant est choisi car « il est sympathique et respire la joie de vivre ». Durant cinq jours, une soixantaine d'écoles de samba défilent dans les rues. Les douze meilleures écoles de samba passent en dernier sur le **sambrodrome** (une avenue de 700 mètres de long bordée de gradins [1] pour les spectateurs) avant d'être notées par un jury qui désigne ainsi **l'école championne**.

Le plus élégant à… Venise

Il paraît que ce carnaval existe depuis le 11e siècle. Il prend de l'importance au Moyen Âge et attire de nombreux étrangers. Aujourd'hui encore, les gens défilent dans les rues avec de longues capes noires, des masques blancs, de beaux costumes de la *commedia dell'arte* (le théâtre populaire italien), des perruques et de grands chapeaux.

2. **Des gradins** : places assises pour les spectateurs disposés comme des escaliers.

Le plus connu en France à... Nice

Le carnaval dure deux semaines et attire plus d'un million de visiteurs. Chaque année, un thème est choisi pour la fabrication d'une vingtaine de chars et de **grosses têtes** : Roi du sport, Roi du cirque, Roi de l'Europe... Certains chars mesurent 20 mètres de haut et 15 mètres de long. Celui du Roi est toujours le premier, suivi du char de la Reine. Il ne faut pas oublier la

soufflerie, qui lance les confettis. Pendant la **Bataille des fleurs**, plus de 100 000 fleurs sont lancées sur les spectateurs. Le dernier jour, le char du Roi du carnaval, défile seul dans les rues avant d'être brûlé.

Compréhension écrite

1 Choisissez le mot qui convient pour compléter les phrases.

1 Le carnaval est une *tête/fête/lettre* qui existe dans de nombreux pays.
2 Pour le carnaval, on se promène *déguisés/étonnés/fatigués*.
3 Les *casques/masques/confettis* cachent les visages.
4 Le Roi du carnaval de Nice est *brûlé/mangé/fabriqué* le dernier jour.

Avant de lire

1 Les mots suivants ont un rapport avec les hôtels et sont utilisés dans le chapitre 5. Associez chaque mot à l'image correspondante.

a   le hall d'entré

b   la réception

c   la femme de ménage

d   le portier

e   le liftier

f   le fauteuil

g   l'ascenseur

h   la chambre d'hôtel

i   la table basse

L'hôtel Negresco

Florian décide de passer à l'action. Il pense avoir trouvé  le moyen de faire réagir l'inconnu. Il recherche le texto qu'il a reçu après la remise de l'argent dans le jardin de l'Armente. Il tape sur le clavier de son téléphone : « Et si la police apprenait que la *Tour Eiffel* se trouve à Nice ? » Puis, il attend avec impatience. La réponse arrive trois minutes plus tard.

> Tout le monde sait qu'elle est à Paris.

> Et si je prouvais le contraire ?

> Impossible.

> Vous en êtes bien sûr ?

> Où serait-elle ?

> À l'hôtel Negresco, par exemple.

C'est le premier nom qui lui est venu à l'esprit. Florian se rend compte qu'il joue à quitte ou double. Son téléphone sonne. « J'ai tapé dans le mille », se dit-il.

— Tu veux perdre ta petite amie ou quoi ? Tiens, je te la passe.

— Florian ?

— Amélie ! Ça va ? Il ne t'a rien fait ? Sinon, je le...

— Je t'en prie, fais ce qu'il te dit. Ne préviens personne, il va me tuer sinon. Je...

L'homme reprend alors la conversation.

— Je t'ai dit de ne prévenir personne. Tu commences vraiment à dépasser les bornes. Tu me laisses tranquille et tu reverras ta copine. Compris ?

Florian sait que sa voix ne doit pas trembler. Il doit faire douter l'inconnu et lui montrer qu'il n'a pas peur de lui.

— J'en ai marre de vos ordres. Maintenant, c'est moi qui vais vous dire ce qu'on va faire.

Florian croit à peine ce qu'il vient de dire. Est-ce vraiment lui qui vient de parler ? Il ne peut plus reculer.

— Vous allez libérer Amélie ce matin même.

L'inconnu éclate de rire :

— Tu commences à me plaire, petit. Mais, vois-tu, dans un deal, chaque partie doit apporter quelque chose. J'ai la carte postale et ton amie. Et toi, que proposes-tu ?

— Votre identité.

Florian sent l'hésitation de son interlocuteur dans le long silence qui suit. L'inconnu doit juger si Florian bluffe ou dit la vérité.

— Bien essayé jeune homme, mais tu n'as aucun moyen de la savoir.

— Vous vous appelez Lionel Grelet et vous avez disparu sur le bateau entre Bastia et Nice.

— Tu lis bien les journaux, mais on arrête de plaisanter maintenant. Je déciderai quoi faire de ta copine suivant mon humeur. Adieu !

La communication prend fin sur cette menace de l'inconnu. Florian tente de le rappeler, puis d'envoyer un texto. Mais l'homme ne répond plus et Florian voit s'envoler l'espoir de sauver Amélie. Florian relit les textos qu'ils se sont échangés. Si l'inconnu a réagi au nom « Negresco », c'est qu'il a un rapport quelconque avec cet hôtel. Lequel ? Florian décide de se rendre sur place.

— Et si j'arrive à mettre la main sur la *Tour Eiffel*, alors je pourrai le forcer à libérer Amélie.

Pour la première fois de sa vie, Florian passe la porte d'un hôtel cinq étoiles. Il est très impressionné par le portier à l'entrée et tout le luxe de la décoration. Il traverse le hall d'entrée et s'installe dans un confortable fauteuil en cuir. Il commence à lire un journal disposé sur une table basse. Il passe ainsi presqu'une demi-heure à observer les allées et venues des clients de l'hôtel et du personnel. Mais il ne remarque rien de suspect. Soudain, il reconnaît la mélodie d'un téléphone qui sonne : Eros Ramazzotti, *Una storia importante* ! Son propriétaire est devant la réception et répond d'une voix forte comme s'il était seul au monde :

— Paolo Lombardi.

Le collectionneur italien qui a fait une si bonne impression au père d'Amélie ! Et si c'était aussi le kidnappeur d'Amélie ? Lombardi s'énerve au téléphone, puis l'éteint et s'adresse au réceptionniste. Florian s'approche discrètement des deux hommes pour mieux entendre. Mais la conversation tourne autour du carnaval.

— Je vais vous avouer quelque chose, conclut Lombardi, je déteste la foule et les carnavals m'ennuient. Au fait, pouvez-vous envoyer cette lettre, s'il vous plaît ?

— Certainement monsieur, elle partira à la levée[1] de demain matin. Mais il n'y a pas une erreur ? Vous avez inscrit votre nom sur l'enveloppe.

Paolo Lombardi tourne la tête sans répondre et quitte l'hôtel. L'employé de l'hôtel fait alors signe à une jeune femme :

— La chambre 306 est libre.

Florian se lève et se dirige vers l'ascenseur.

— Quel étage, monsieur ?

Florian met quelques instants à réaliser que le liftier s'adresse à lui.

— Troisième, répond-il d'une voix peu assurée.

— Votre séjour à Nice vous plaît ?

Florian sourit et fait oui de la tête.

— Vous n'êtes pas français ? Italien, peut-être ?

Florian voudrait l'embrasser : cet homme vient de lui donner une idée.

— Italien, oui, oui.

Arrivé au troisième étage, Florian s'avance lentement dans le couloir. Une porte s'ouvre et la femme de ménage apparaît avec son chariot. Florian la suit jusqu'à la chambre 306.

— Vous allez là ? s'étonne-t-elle.

— Si, répond Florian avec un accent et un grand sourire qu'il pense être italiens. Mais, mon papa a oublié quelque chose.

— Je vous en prie, dit-elle et elle se déplace pour le faire passer.

Florian sourit toujours et ajoute :

— Oh, que je suis bête, je n'ai pas la carte sur moi.

La jeune femme hésite, puis propose à Florian de lui ouvrir la porte.

— Je reviendrai plus tard pour le ménage.

---

1. **La levée** : ramassage du courrier dans les boîtes aux lettres publiques.

Compréhension écrite et orale

1 **Lisez le chapitre, puis cochez la bonne réponse.**

1 Pour prendre contact avec l'inconnu, Florian lui envoie
   a ☐ des fleurs. **b** ☐ un texto. **c** ☐ une carte postale.

2 Florian veut l'impressionner et essaye de deviner son
   a ☐ identité. **b** ☐ adresse. **c** ☐ numéro de chambre.

3 Florian entre pour la première fois dans un hôtel cinq
   a ☐ étoiles. **b** ☐ planètes. **c** ☐ univers.

4 Paolo Lombardi donne une lettre au
   a ☐ facteur. **b** ☐ gardien de nuit. **c** ☐ réceptionniste.

5 Le numéro de la chambre de Paolo Lombardi est le
   a ☐ six. **b** ☐ trente-six. **c** ☐ trois cent six.

6 Pour ouvrir la porte de la chambre, Florian a besoin d'une
   a ☐ clé. **b** ☐ photo. **c** ☐ carte.

2 **Devinez quel(s) personnage(s) se cache(nt) derrière chaque affirmation.**

1 Ils s'envoient des textos sur leur portable. ....

2 Elle parle au téléphone avec Florian. ....

3 Sa sonnerie de portable est une chanson italienne. ....

4 Il s'étonne de l'adresse sur l'enveloppe. ....

5 Il donne une bonne idée à Florian. ....

6 Elle ouvre la porte de la chambre 306. ....

3 **Lisez ces phrases tirées du chapitre 5 et replacez-les dans leur contexte.**

1 « J'ai tapé dans le mille. »

2 « Maintenant, c'est moi qui vais vous dire ce qu'on va faire. »

3 « Adieu ! »

4 « Mais il n'y a pas une erreur ? »

5 « Quel étage, monsieur ? »

6 « Je reviendrai plus tard pour le ménage. »

Enrichissez votre **vocabulaire**

4 Complétez les commentaires des clients de l'hôtel sur le livre d'or avec les mots proposés.

1	chambres	meubles	rideaux	
2	lavabo	baignoire	fenêtre	
3	tapis	fauteuil	lit	
4	voisines	occupées	fermées	
5	libre	mise	prise	
6	changer	réserver	terminer	
7	fruit	cri	prix	
8	garage	balcon	accueil	

Un super hôtel ! Les (1) .... sont immenses et la (2) .... de la salle de bains est une vraie piscine !

Mon (3) .... était trop dur et on entendait tous les bruits des chambres (4) .... : je déconseille d'y aller.

Pas une chambre de (5) .... avant un an : un hôtel toujours complet. Impossible de (6) .... une chambre !

Un (7) .... très raisonnable et un (8) .... chaleureux.

Bravo !

5 Faites une phrase avec ces expressions utilisées dans le chapitre 5.

1 **Jouer à quitte ou double** : tout risquer, gagner ou perdre gros.

2 **Taper dans le mille** : avoir vu juste, trouver la bonne solution.

3 **Dépasser les bornes** : en faire trop, aller trop loin, exagérer.

4 **En avoir marre** : être fatigué de quelque chose, être abattu.

5 **Bluffer** : mentir, mais faire croire que l'on dit la vérité.

6 **Être sur une piste** : commencer à comprendre un problème.

Grammaire

Les adjectifs ordinaux

Les adjectifs ordinaux indiquent l'ordre des personnes, des objets, des idées...

*Arrivé au **troisième** étage, Florian s'avance dans le couloir.*

Les adjectifs ordinaux se forment en ajoutant le suffixe **-ième** au nombre cardinal correspondant.

deux → deuxième

cent → centième

cent vingt-trois → cent vingt-troisième.

Attention ! *un(e) → premier/première*

Généralement, on utilise **second** à la place de **deuxième** dans un langage plus soigné.

6 Complétez les phrases avec un adjectif ordinal.

1 Le char du Roi du carnaval est toujours le .... (numéro 1).

2 Après lui, le .... char est celui de la reine.

3 Il y a soixante chars. Le dernier est donc le ....

4 Il y a trois chars entre le roi et le .... char.

5 Deux personnes sont déjà dans l'ascenseur. Florian est le ....

6 Florian se souvient encore du .... texto d'Amélie.

Production écrite et orale

DELF **7** Écrivez un mail pour réserver une chambre d'hôtel où vous précisez tous vos souhaits.

8 Vous êtes réceptionniste dans le plus grand hôtel de Nice. Présentez l'hôtel à deux nouveaux clients.

Avant de lire

1 Complétez la grille de mots croisés à l'aide des définitions et des mots proposés.

barrière   haleine   haut-parleur   libérer   malfaiteur
monde   ponctuel   scooter   sursauter   trappe

Verticalement

1 Petite porte qui permet d'entrer quelque part.
2 On le dit de quelqu'un qui est toujours à l'heure.
3 Rendre la liberté.
4 Si on ne peut plus respirer après avoir couru, on dit qu'on a couru à perdre ...
5 Avoir un mouvement brusque lorsque l'on est surpris ou lorsque l'on a peur.

Horizontalement

1 Elle empêche de passer.
2 Quand il y a beaucoup de gens, on dit qu'il y a du ...
3 Une petite moto.
4 Il permet de diffuser de la musique.
5 Il n'est pas honnête.

Si près du but

Florian pousse un énorme soupir de soulagement en refermant la porte de la suite 306. Il explose ensuite de joie : « Yes ! » Il croyait que seul les héros des films d'espionnage pouvaient réussir ce genre d'exploits. Mais il revient vite sur terre et commence à fouiller la chambre. Elle ressemble plus à un appartement : elle mesure au moins quatre-vingt mètres carrés ! Il doit faire vite. La femme de chambre va sans doute appeler le réceptionniste pour lui dire qu'elle ne peut pas commencer tout de suite. Il lui demandera pourquoi. Elle dira que le fils de monsieur Lombardi est là. Il dira que Lombardi est descendu seul à l'hôtel et il appellera la police. Florian sourit à l'idée qu'il a peur de la police alors qu'il recherche, lui, un malfaiteur… Mais encore faut-il que Florian le prouve.

Chambre, salon, salle de bains, placards, tiroirs : Florian ne trouve ni le sac à dos, ni la carte postale, ni aucune trace d'Amélie. Paolo Lombardi n'a peut-être rien à voir avec cette histoire. Peut-être a-t-il simplement la même sonnerie de téléphone que l'inconnu. Après tout, Eros Ramazzotti a des millions de fans à travers le monde. Déjà dix minutes que Florian est là, il ne peut pas rester plus longtemps. Il passe une dernière fois dans toutes les pièces. Rien.

Il quitte le Negresco. Il descend sur la plage et s'assoit sur le sable. Il est désespéré et fatigué. Il s'allonge et, à peine quelques minutes plus tard, il s'endort. Il est dix-sept heures quand il ouvre à nouveau les yeux. Il vérifie son téléphone : il a reçu un message vocal : « Je serai près du ponton pour la mise à feu du Roi à vingt et une heures. On se retrouve là-bas ». Amélie a la voix fatiguée, mais c'est bien elle. Florian est soulagé : enfin une bonne nouvelle depuis hier ! Il faut maintenant supporter les quatre heures qui restent et qui vont être les plus longues de sa vie.

Florian est ponctuel : à vingt et une heures pile, il est en face du ponton. Il n'est pas seul. Des milliers de gens emplissent la promenade des Anglais et la plage. Tous les regards sont tournés vers le Roi du carnaval. Ce dernier a été embarqué sur un radeau en bois remorqué par un puissant bateau à moteur. Les parents d'Amélie ont eu le droit de prendre place à bord du bateau.

« La mise à feu du Roi dans seulement vingt minutes » annonce le commentateur de l'évènement à travers de grands haut-parleurs. Florian ne tient pas en place. Il appelle Amélie toutes les cinq minutes, mais ne parle qu'avec son répondeur. Il croit la reconnaître plusieurs fois dans la foule, mais ce n'est pas elle.

— Partons maintenant, s'impatiente une jeune fille. Vous savez que je déteste le monde et le feu.

Ses copains se moquent d'elle :

— Tu as dû être Jeanne d'Arc dans une vie antérieure.

La remarque fait sursauter Florian. Il repense à la remarque de Paolo Lombardi à l'hôtel qui a dit détester les carnavals et la foule. « Mais alors, pourquoi s'est-il tant intéressé au char des parents d'Amélie ? Jeanne d'Arc est morte sur un bûcher. » Florian est soudain pris de sueurs froides : si Lombardi est l'inconnu, alors il n'a jamais eu l'intention de libérer Amélie. Il veut même se débarrasser d'elle. Amélie doit être enfermée dans le Roi et va brûler avec lui !

Que faire ? Florian est à trente mètres du ponton, mais la foule est dense et jamais il ne pourra s'approcher davantage. Il essaye pourtant de se frayer un passage en bousculant tout le monde. Il parvient jusqu'au premier rang, mais des policiers empêchent les spectateurs d'avancer davantage. Florian leur hurle :

— Il faut tout arrêter, il y a une jeune fille dans le Roi.

— Du calme, jeune homme. Tout va bien se passer.

— Mais non !

Florian aperçoit deux scooters des mers au bout du ponton. Il pousse le policier de toutes ses forces et enjambe la barrière métallique qui barre le passage. Il court ensuite à perdre haleine vers les scooters des mers. Le moteur du premier est allumé. Florian se retourne : les deux policiers le poursuivent, il ne peut pas perdre de temps à s'expliquer. Il attrape le conducteur du scooter et le jette à l'eau. Il monte ensuite sur l'engin et démarre à fond. Il arrive à la hauteur du bateau lorsque le radeau où est disposé le Roi se détache.

— Regarde Christophe ! dit la mère d'Amélie à son mari, ce n'est pas Florian ?

— Amélie n'est pas avec lui ? Elle exagère quand même !

— Ne t'énerve pas. Elle est peut-être restée sur la plage.

— Tu parles ! Ses copains comptent plus que ses parents. Quand je pense qu'elle ne verra même pas la mise à feu ! L'année de notre Roi !

Florian crie, mais les parents d'Amélie ne comprennent pas ce qu'il dit. Inutile d'insister. Il s'approche du Roi et saute sur le radeau.

— Il est fou, hurle Christophe, le dispositif de mise à feu est déclenché. Tout va prendre feu dans trois minutes.

La nuit est noire et Florian se sert de son téléphone portable comme d'une lampe de poche. Il cherche la trappe qui permet de pénétrer à l'intérieur du gigantesque personnage. Il la trouve et l'enfonce à grands coups de pieds. Il rentre à l'intérieur du Roi.

— Amélie ! Amélie !

Pas de réponse. Il avance avec difficultés au milieu de la structure métallique. Puis, enfin, il l'aperçoit. Amélie est étendue, les pieds et les mains liés, inconsciente. Un large morceau de scotch lui ferme la bouche. Il l'arrache et la douleur réveille la jeune fille. Elle entrouvre les yeux et lui sourit. Mais elle est trop faible pour marcher et Florian n'a pas le temps de la détacher. Il la prend dans ses bras. La voix du commentateur parvient jusqu'à lui :

— Plus qu'une minute avant la mise à feu.

Florian doit marcher plié en deux et porter Amélie en même temps. Il réunit toutes les forces qui lui restent pour sortir du Roi. Il n'est plus qu'à deux mètres de la trappe quand le commentateur s'enthousiasme :

— Plus que vingt secondes. Je vous propose de compter tous ensemble.

Florian atteint la trappe. Mais passer avec Amélie dans les bras est impossible.

— Quinze, quatorze...

Compréhension écrite et orale

1 Écoutez l'enregistrement du chapitre, puis cochez les affirmations correctes.

1 ☐ La chambre de Paolo Lombardi est toute petite.
2 ☐ Florian trouve la carte postale de la *Tour Eiffel* dans un tiroir.
3 ☐ Florian s'endort sur la plage.
4 ☐ Amélie donne rendez-vous à Florian à vingt et une heure.
5 ☐ Il n'y a pas beaucoup de monde pour voir la mise à feu du Roi.
6 ☐ Florian sait conduire un scooter des mers.
7 ☐ Les parents d'Amélie aident Florian à pénétrer dans le Roi.
8 ☐ Amélie est inconsciente et attachée.
9 ☐ Florian n'a pas de mal à sortir du Roi.
10 ☐ À la fin du chapitre, il reste quatorze secondes avant l'explosion.

2 Lisez le chapitre, puis répondez aux questions.

1 Florian est-il content d'être entré dans la chambre ?
2 Que cherche-t-il dans la chambre ?
3 Où Florian s'endort-il ?
4 Comment Florian comprend-il qu'Amélie est en danger ?
5 Avec quel moyen de transport atteint-il le Roi ?
6 Est-que c'est facile pour Florian de marcher dans le Roi ?

3 Les nombres suivants sont tirés du chapitre 6. Retrouvez à quoi ils correspondent.

a 80 ....
b 306 ....
c 10 ....
d 17 ....
e 21 ....
f 2 ....
g 14 ....

63

Enrichissez votre **vocabulaire**

4 **Soulignez la bonne réponse pour compléter la carte postale.**

Chère maman, *mer/cher*[1] papa,

Je suis bien *partie/arrivée*[2] à Nice.
Le soleil *pleut/brille*[3]. Le carnaval est
super ! Hier, je me suis même baignée
dans la *mer/montage*[4] (pas chaude
quand même).

Vive les *vacances/cours*[5] !

Je vous *embrase/embrasse*[6].

Camille

M. et Mme Pelon

22, rue du Pont

75009 Paris

5 **Après avoir lu la lettre, cochez la bonne réponse.**

1 Qui a écrit la lettre ?

  a ☐ Mme Pelon

  b ☐ M. Pelon.

  c ☐ Camille.

2 À qui est-elle adressée ?

  a ☐ À Camille.

  b ☐ On ne sait pas.

  c ☐ Aux parents de Camille.

3 Où habitent les destinataires ?

  a ☐ À Paris.

  b ☐ À Nice.

  c ☐ À Lyon.

4 Combien coûte le timbre ?

  a ☐ 56 euros.

  b ☐ 56 centimes.

  c ☐ 0,5 centimes.

Grammaire

Les adverbes de fréquence

Toujours, souvent, parfois, quelquefois, rarement, jamais sont des adverbes de fréquence. On utilise un adverbe de fréquence pour préciser si une action est habituelle ou non.

*Amélie perd **souvent** ses affaires.* (c'est habituel).

Jamais s'emploie à la forme négative.

*Il **n'a jamais** eu l'intention de libérer Amélie.* (il ne libérera pas Amélie).

6 Soulignez le bon adverbe de fréquence.

1 Paolo Lombardi descend au Negresco chaque année : il va *souvent/ jamais* à Nice.

2 Le Roi du carnaval est brûlé chaque année : il est *rarement/toujours* brûlé à la fin du carnaval.

3 Paolo Lombardi n'aime pas les défilés : il n'y va *quelquefois/jamais*.

4 Florian a encore perdu ses clés de scooter : il les perd *parfois/ toujours*.

5 Tous les ans, les parents d'Amélie sont carnavaliers : ils participent *rarement/toujours* au carnaval.

6 Amélie les aide ou pas, cela dépend : elle les aide *jamais/ quelquefois*.

Production écrite et orale

7 Imaginez le dialogue entre la femme de chambre et le réceptionniste.

8 Racontez les prochaines quatorze secondes de l'histoire.

La gastronomie niçoise

Avant de faire la cuisine, il faut savoir reconnaître les ingrédients...
Allez hop, au marché !

1 Associez chaque ingrédient à l'image correspondante.

a	l'ail	**e**	la courgette	**i**	les haricots verts
b	l'œuf	**f**	l'oignon	**j**	l'olive
c	le poireau	**g**	la pomme de terre	**k**	la salade
d	la tomate	**h**	l'artichaut	**l**	le poivron

66

La salade niçoise

Avec un nom pareil, inutile d'essayer de cacher sa provenance... Elle est servie en entrée ou en plat principal. Elle est très riche en vitamines. Le secret du chef : que des légumes crus et de saison ! Elle se compose donc de tomates mûres, de poivron vert, de salade, de petits oignons blancs, d'olives noires, de petits artichauts, de concombre, de basilic, mais aussi de thon, de filets d'anchois et d'œufs durs.

Le pan-bagnat

En langue niçoise, le *nissart*, pan-bagnat veut dire « pain mouillé ». Effectivement, ce sandwich niçois est *mouillé*... d'huile d'olive. Pour le préparer, il suffit de prendre un pain rond, de l'ouvrir en deux et de mouiller chaque moitié de vinaigre et d'huile d'olive. Ensuite, on met de la salade niçoise sur le pain et... on déguste !

La soupe au pistou

Il s'agit d'une soupe de légumes accompagnée de pâtes et de pistou (un mélange d'ail, d'huile d'olive, de basilic, de pignons de pin et de parmesan). Dans la soupe, il y a des haricots verts et blancs, des pommes de terre, des courgettes, des poireaux, des tomates, des oignons, des navets et du céleri.

On fait bouillir la soupe pour y cuire les pâtes. Pour préparer le pistou, on écrase ses ingrédients et on les mélange avec l'huile d'olive. Ensuite, on mélange les deux ensemble. Un conseil : la soupe doit rester épaisse et être servie bien chaude.

Compréhension écrite

2 Lisez le dossier, cherchez les erreurs dans les affirmations et expliquez pourquoi elles sont fausses.

1 « Ce que je préfère dans la salade niçoise ? Les œufs crus. »
2 « Je mange toujours mon pan-bagnat avec une petite cuillère. »
3 « Jamais de soupe au pistou, je déteste le poisson ! »
4 « Le pistou est une salade cultivée à Nice. »

3 Lisez le dossier, puis répondez aux questions.

1 Quel aliment est cuit dans la salade niçoise ?
2 Le pan-bagnat peut-il se manger en pique-nique ?
3 La soupe au pistou se mange-t-elle chaude ou froide ?
4 A-t-on besoin d'un four pour préparer le pistou ?

Avant de lire

1 Trouvez les mots dans le « serpent de lettres » en vous aidant des définitions du dictionnaire. Attention aux lettres en trop !

1 On en a sur le corps après un accident. ....

2 « Se garer » pour un bateau dans un port. ....

3 Lit où est installé un blessé à transporter à l'hôpital. ....

4 Action de sauver quelqu'un ou quelque chose. ....

5 Adjectif utilisé pour indiquer que l'on ne sait pas trop quoi penser. ....

6 Arrêter de travailler pour protester. ....

7 Discussion pour arriver à un accord. ....

8 Mettre sa main dans le feu en provoque. ....

2 Deux verbes du chapitre 7 s'écrivent presque de la même manière. Une seule lettre change, mais elle fait la différence. Aidez-vous des deux phrases pour découvrir leur sens.

1 « L'énorme personnage s'<u>embrase</u>. Les flammes montent haut dans le ciel. »

s'embraser : ....

2 « Elle se jette dans les bras de Florian et l'<u>embrasse</u>. »

s'embrasser : ....

3 Écrivez une phrase en utilisant ces deux mots.

4 Cherchez dans le dictionnaire des mots qui n'ont qu'une lettre de différence, puis écrivez une phrase avec chacun de ces mots.

le courrier

ix, neuf, huit...

Florian ne peut pas faire passer Amélie par la trappe.

— Amélie, excuse-moi, dit-il avant de donner trois grandes gifles à son amie.

Le choc est suffisant pour réveiller la jeune fille. Florian la pousse alors à travers la trappe. Il passe à son tour, reprend Amélie dans ses bras et se jette à l'eau.

— ..., deux, un, feu !

Le spectacle vu de la plage est magnifique. L'énorme personnage s'embrase. Les flammes montent haut dans le ciel et toute la mer semble avoir pris feu. La foule sur le rivage hurle des « Hourra ! Vive le Roi ! ». Le père d'Amélie, qui a vu les deux jeunes gens tomber à l'eau depuis son bateau, a aussitôt prévenu la police maritime. Trois vedettes [1] arrivent sur place quatre minutes plus tard. Les flammes

---

1. **Une vedette** : ici, bateau à moteur.

et la chaleur empêchent les sauveteurs d'approcher, mais deux plongeurs sautent dans l'eau et explorent la zone. L'un d'eux repère deux têtes qui dépassent à peine de l'eau. Il nage jusqu'à eux. Amélie et Florian sont hissés, sains et saufs, sur une vedette. Florian trouve la force de dire à l'un des policiers :

— Paolo Lombardi a enlevé Amélie et volé la *Tour Eiffel*. Il est à l'hôtel Negresco, dans la suite 306.

La vedette file vers le rivage et accoste au ponton. Amélie et Florian sont installés sur des brancards et transportés dans une ambulance qui les conduit à l'hôpital de Nice. Une heure et quelques examens plus tard, le médecin des urgences donne son diagnostic aux parents des jeunes gens :

— Aucune blessure sérieuse, aucune brûlure, un vrai miracle ! Mais ils doivent se reposer quelques jours.

Amélie et Florian sont interrogés par un commissaire de police avant de pouvoir retourner chez eux. Ils lui expliquent tout ce qui s'est passé depuis le retour de Corse d'Amélie. Le commissaire leur passe un savon² (« Vous auriez dû prévenir la police dès la découverte du contenu du sac à dos »), mais félicite Florian pour le sauvetage d'Amélie (« Mes hommes ne pouvaient pas faire mieux »).

Il leur annonce aussi une bonne nouvelle :

— Paolo Lombardi a été arrêté dans sa suite du Negresco. Nous allons l'interroger. Je vous donnerai plus d'informations demain.

Le lendemain, le commissaire retrouve les deux adolescents dans l'appartement des parents d'Amélie.

— Cette affaire me rend perplexe. Vous accusez Lombardi de vous avoir enlevée et d'avoir volé la *Tour Eiffel*. Mais nous n'avons trouvé aucune preuve : ni le sac à dos, ni l'argent, ni le revolver, ni

---

2. **Passer un savon à quelqu'un** : faire des reproches violents à quelqu'un.

la carte postale. Et vous ne pouvez pas décrire le lieu où vous étiez prisonnière.

— Il m'a mis un masque sur la tête et m'a donné des médicaments : j'étais dans les vapes [3]. Ce n'est pas de ma faute.

— Sans preuves, c'est votre parole contre la sienne.

— Et celle d'un collectionneur renommé vaut plus que celle de deux adolescents, conclut Florian.

La sonnette de la porte d'entrée retentit et la mère d'Amélie va ouvrir. Le postier lui demande une signature et lui remet un paquet.

— Mon mari achète tout par correspondance ! Ce n'est pas lui qui fait marcher le commerce niçois, fait-elle semblant de se plaindre.

— Par contre, vous assurez mon boulot, répond le postier avec un grand sourire. Les gens n'envoient plus de lettres, vous savez...

La remarque provoque un électrochoc à Florian qui se lève d'un bond :

— J'ai tout compris !

Il est excité et parle à toute vitesse :

— Je sais où est la *Tour Eiffel* ! J'ai vu Paolo Lombardi remettre une enveloppe au réceptionniste du Negresco, hier après-midi. Ce dernier a eu l'air étonné. Je sais pourquoi : Lombardi a envoyé la célèbre carte postale dans une enveloppe... à son adresse en Italie !

Le commissaire appelle sans attendre la réception du Negresco. L'employé lui explique qu'un postier est passé prendre le courrier tôt ce matin.

— Il faut absolument mettre la main sur l'enveloppe, elle ne doit pas quitter la France, dit-il avant de composer le numéro du directeur de la Poste de Nice. Ce dernier est sur les nerfs, car le centre de tri du courrier de la ville est en grève.

---

3. **Être dans les vapes** : être presque inconscient à cause de la fatigue ou d'une drogue.

— C'est une excellente nouvelle, lui répond le commissaire. Avec un peu de chance, notre lettre est bloquée là-bas. On y fonce⁴ !

Les grévistes acceptent de laisser passer les policiers, mais les machines sont arrêtées et une pile impressionnante de lettres attend d'être triée. Cinq policiers, le commissaire, Amélie et Florian se mettent au travail. Une heure plus tard, Amélie s'écrie : « Je l'ai ! » Elle la tend au commissaire, mais celui-ci se tourne vers Florian :

— C'est grâce à toi si nous l'avons retrouvée. À toi l'honneur de l'ouvrir. Fais vite, j'ai envie de savoir si ton hypothèse est juste.

— Et si je déchire la carte postale ?

— Tu devras juste trois millions d'euros à son propriétaire, plaisante Amélie.

Cela ne rassure pas Florian qui tourne l'enveloppe dans tous les sens sans savoir par où la déchirer.

— Allez, passe-moi ça, s'impatiente Amélie.

La jeune fille ouvre délicatement l'enveloppe avec un couteau que lui tend un policier. Elle attrape la carte qui se trouve à l'intérieur, la regarde, puis lance un cri de victoire :

— On a retrouvé la *Tour Eiffel* !

Elle se jette dans les bras de Florian et l'embrasse.

— Il ne me reste plus qu'à reprendre l'interrogatoire de monsieur Lombardi, conclut le commissaire. Bravo les jeunes, vous avez fait du bon travail !

Lorsque les deux adolescents sortent du centre de tri dans les bras l'un de l'autre, un journaliste de *Nice-Matin* pointe son appareil photo sur le jeune couple. Demain, deux belles photos illustreront la une du journal : le Roi en feu et les jeunes héros du carnaval qui s'embrassent !

4. **Foncer** : se rendre très vite quelque part.

Compréhension écrite et orale

1 **Écoutez l'enregistrement du chapitre, puis cochez la bonne réponse.**

1 Pour réveiller Amélie, Florian lui donne trois
   a ☐ fleurs.　　b ☐ gifles.　　　　c ☐ gâteaux.

2 La foule hurle :
   a ☐ « Vive le Roi ! »　　b ☐ « Ils sont morts ! »
   c ☐ « Vive Lombardi ! »

3 Florian indique à la police comment retrouver
   a ☐ la plage.　　b ☐ le Roi du carnaval.　c ☐ Paolo Lombardi.

4 Amélie et Florian n'ont aucune
   a ☐ peinture.　　b ☐ ceinture.　　　　c ☐ blessure.

5 La mère d'Amélie ouvre la porte de l'appartement à un
   a ☐ policier.　　b ☐ carnavalier.　　　c ☐ postier.

6 Le centre de tri ne fonctionne pas, car les employés sont en
   a ☐ repos.　　b ☐ grève.　　　　　c ☐ vacances.

7 Le commissaire tend l'enveloppe à
   a ☐ Amélie.　　b ☐ Paolo Lombardi.　　c ☐ Florian.

8 Dans l'enveloppe se trouve la
   a ☐ Baie des Anges.　　b ☐ *Tour Eiffel*.
   c ☐ Promenade des Anglais.

2 **Expliquez comment...**

1 Florian réveille Amélie. ....

2 la police maritime est prévenue. ....

3 les deux amis sont repêchés. ....

4 Florian comprend où est la carte postale. ....

5 les personnages entrent dans le centre de tri malgré la grève.
   ....

6 Amélie ouvre l'enveloppe. ....

Grammaire

Le comparatif

Pour comparer deux personnes, deux objets, deux actions, il existe plusieurs constructions :

— avec un **adjectif** ou un **adverbe**, on place **plus** (pour exprimer la supériorité), **aussi** (pour exprimer l'égalité), **moins** (pour exprimer l'infériorité) devant l'adjectif ou l'adverbe et **que** devant le terme comparé.

*Le char du Roi est **plus** grand **que** les autres.*
*L'hôtel de la plage est **moins** cher **que** le Negresco.*

— avec un **verbe** ou un **nom**, on utilise les structures suivantes :

*Amélie cherche **plus/moins/autant que** Florian.*
*Paolo Lombardi a **plus/moins/autant de** billets **que** Florian.*

Attention ! On ne dit pas **plus bien** mais **mieux**.
*Mes hommes n'auraient pas fait **mieux**.*

3 Les réponses aux questions suivantes ne sont pas données dans l'histoire. Formulez votre propre réponse.

1 Les plongeurs nagent-ils mieux que Florian ?

2 Amélie trie-t-elle autant de lettres que le commissaire ?

3 Amélie est-elle moins blessée que Florian ?

4 La photo des deux amis est-elle aussi belle que celle du Roi ?

4 Faites des phrases au comparatif.

1 la tour Eiffel/la Promenade des Anglais/être célèbre (*égalité*)

....

2 Amélie/Florian/être sensible (*supériorité*)

....

3 Amélie/Florian/téléphoner (*égalité*)

....

4 Amélie/Florian/avoir des amis (*infériorité*)

....

Enrichissez votre vocabulaire

5 *Nice-Matin* est le journal de la région niçoise. Cochez les bonnes réponses.

1 *Nice-Matin* paraît chaque jour. On dit que c'est un
   a ☐ mensuel.   b ☐ hebdomadaire.   c ☐ quotidien.

2 Les personnes qui écrivent dans un journal sont des
   a ☐ journalistes.   b ☐ photographes.   c ☐ imprimeurs.

3 Chaque page du journal est composé
   a ☐ de chansons.   b ☐ d'articles.   c ☐ de chapitres.

4 Les personnes qui lisent le journal sont ses
   a ☐ auteurs.   b ☐ danseurs.   c ☐ lecteurs.

5 Quand on reçoit le journal chez soi, c'est qu'on est
   a ☐ abandonné.   b ☐ remonté.   c ☐ abonné.

6 Dans la rue, on peut acheter le journal dans des
   a ☐ kiosques.   b ☐ librairies.   c ☐ bibliothèques.

7 *Nice-Matin* est le
   a ☐ frite.   b ☐ pitre.   c ☐ titre.

8 *Nice Matin* est imprimé sur
   a ☐ de la pierre.   b ☐ du carton.   c ☐ du papier.

Production écrite et orale

6 Vous êtes journaliste. Écrivez l'interview d'Amélie et de Florian.

7 Imaginez l'interrogatoire de Paolo Lombardi par le commissaire de police.

1 Remettez les dessins dans l'ordre chronologique de l'histoire.

2 Cochez la ou les bonne(s) affirmation(s) pour chaque personnage.

1 Amélie
- a ☐ Elle habite dans le nord de la France.
- b ☐ Elle a quinze ans.
- c ☐ Elle a échangé son sac à dos avec le sac à dos d'un inconnu.
- d ☐ Elle brûle dans le Roi du carnaval.

2 Florian
- a ☐ C'est le petit ami d'Amélie.
- b ☐ Il a gardé de l'argent du sac à dos.
- c ☐ Il retrouve Amélie.
- d ☐ Il devine où est cachée la carte postale.

3 Françoise et Christophe
- a ☐ Ce sont les parents d'Amélie.
- b ☐ Ils n'aiment pas le carnaval.
- c ☐ Ils construisent le char le plus important du carnaval.
- d ☐ Ils habitent à Paris.

4 Paolo Lombardi
- a ☐ Il est italien.
- b ☐ Il a volé la *Tour Eiffel*.
- c ☐ Il a une chambre dans un bel hôtel de Nice.
- d ☐ La sonnerie de son téléphone est une chanson française.

3 Répondez aux questions.

1 Qu'appelle-t-on la « promenade des Anglais » ?
2 Quel jour se termine la période des carnavals ?
3 Le Roi du carnaval est-il un homme ?
4 Qu'est-ce que la *Tour Eiffel* dans cette histoire ?
5 La soupe au pistou se mange-t-elle froide ?
6 Comment s'appelle le personnage principal du film *Brice de Nice* ?

4 Souvenez-vous qui prononce ces phrases, puis situez-les dans le contexte de l'histoire.

1. « Je croyais que c'était mon sac. Je me suis trompée. »
2. « Tu te fiches de moi ? Il manque cinq mille euros. »
3. « Florian ! Ça me fait plaisir de te voir. Amélie n'est pas avec toi ? »
4. « Au fait, pouvez-vous envoyer cette lettre, s'il vous plaît ? »
5. « Du calme jeune homme ! Tout va bien se passer. »
6. « Plus que vingt secondes. Je vous propose de compter tous ensemble »
7. « Je sais où est la *Tour Eiffel* ! »
8. « Bravo les jeunes, vous avez fait du beau travail ! »

5 Complétez les phrases, puis trouvez le mot mystérieux.

1. Amélie et Florian habitent à ☐☐☐☐.
2. Amélie n'a pas retrouvé ses affaires dans son ☐☐☐ à ☐☐☐.
3. Le premier char est celui du ☐☐☐ du carnaval.
4. La *Tour Eiffel* est dans une ☐☐☐☐☐☐☐☐☐.
5. Le ☐☐☐ - ☐☐☐☐☐☐ est le sandwich niçois.
6. Nice est une ☐☐☐☐☐ du sud de la France.
7. La ☐☐☐☐☐☐☐☐☐☐ des Anglais est une avenue de Nice.
8. Il y a ☐☐☐☐☐ pour voir le défilé.

   Cette grande fête a lieu tous les ans à Nice : le _ _ _ _ _ _ _ _.

6 Remettez dans l'ordre les définitions des mots ou expressions utilisés tout au long de l'histoire.

1. **S'en vouloir** : disparaître.
2. **Éprouver du soulagement** : ne pas réussir à faire quelque chose.
3. **Essayer sans succès** : regretter ce qu'on a fait.
4. **Être dans de sales draps** : ressentir une très grande peur.
5. **Paniquer** : se sentir mieux après un moment d'angoisse.
6. **Se volatiliser** : être dans une situation difficile ou dangereuse.